Des GOÛTERS toute l'année

avec Mes Copains

TEXTES : DELPHINE GODARD
ILLUSTRATIONS : DENIS CAUQUETOUX

éditions
SARBACANE

Avant de

Lave-toi soigneusement
les mains avec du savon.

Protège tes habits
avec un tablier.

Si tu as les cheveux longs,
attache-les avec une barrette
ou un élastique.

Retrousse tes manches.

commencer

Demande à un adulte de t'aider chaque fois qu'il faut se servir d'un couteau.

Ne fais jamais fonctionner les appareils électriques ou le four sans la présence d'un adulte.

Tu es prêt ? Amuse-toi bien.

La galette des rois d'Hugo

Une nouvelle année commence. Le 5 janvier, traditionnellement, on tire les rois. Hugo et ses amis ont préparé une grosse galette. Tiens ! Mais comment se fait-il que personne n'ait la fève ?

Il te faut :
- 500 g de pâte feuilletée, en bloc
- 250 g de crème frangipane
- 1 jaune d'œuf
- 1 fève

1

Coupe le bloc de pâte feuilletée en deux. Étale une moitié avec un rouleau. Coupe les bords de façon à ce qu'elle soit bien ronde.

2

Étale une bonne couche de frangipane, puis pose la fève au milieu. Avec un pinceau, passe la pâte au jaune d'œuf autour de la frangipane.

3

Recouvre avec le reste de pâte, bien étalée. Appuie sur le pourtour pour coller les deux cercles de pâte.

4

Trempe un pinceau dans le jaune d'œuf et badigeonne le dessus de la galette. Dessine des motifs avec la lame d'un couteau.

5

Fais cuire à four chaud (180-200 °C).
La galette est prête lorsque le dessus
est doré et le dessous bien cuit.

Hugo fabrique lui-même ses
couronnes. C'est plus amusant.
L'une représente des crêtes de
montagnes, l'autre les créneaux
d'un château fort.
À toi d'inventer les tiennes.

Les crêpes de Jules

Tombe, tombe la neige…
Mais quel froid !
Pour se réchauffer, Jules invite ses amis à une crêpes-party. Chacun sa crêpe. Enfin, certains ont l'air d'en redemander…

Il te faut :
- 250 g de farine
- 1/2 litre de lait
- 2 œufs
- 1 c. à soupe d'huile
- 1 pincée de sel

1 Verse la farine dans un saladier. Forme un puits au centre.

2 Ajoute les 2 œufs, l'huile, le sel et un peu de lait. Mélange avec un fouet.

3 Ajoute petit à petit le reste de lait, en mélangeant bien. Puis laisse reposer 1 heure.

4 Fais chauffer un peu d'huile dans une poêle. Verse une louche de pâte, tourne la poêle pour répartir la pâte, puis retourne la crêpe.

Les crêpes que Jules préfère... ce sont les crêpes banane chocolat. Pour cela, il fait fondre quelques carrés de chocolat noir dans une casserole avec un petit peu d'eau. Puis il découpe une banane en fines rondelles, garnit sa crêpe de bananes et recouvre le tout de sauce au chocolat.

C'est vraiment bon !

Les bonbons de Gisèle

Vive le printemps ! Toute la nature se réveille et les fleurs montrent leurs couleurs. Gisèle est vraiment joyeuse. Cet après-midi, elle va faire une surprise à ses copains... et manger plein de bonbons.

Il te faut :
- plein de bonbons
- du fil de Nylon
- des piques à brochettes
- 20 morceaux de sucre
- du miel liquide

1 Enfile des guimauves sur le fil de Nylon. Demande à un adulte de les accrocher au plafond.

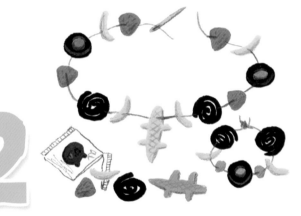

2 Passe un fil de Nylon dans le chas d'une grosse aiguille. Enfile les bonbons de ton choix, comme s'il s'agissait de perles.

Les astuces de Mathis

Mathis est tellement gourmand qu'il remplace le fil de Nylon par un fil à la réglisse ou un fil à la fraise. Bien sûr, le bracelet ou le collier est un peu moins solide. Mais on peut le manger en entier...

3 Enfile fraises et bananes sur les piques à brochettes. Plante les piques, une fois garnies, dans un demi-pamplemousse.

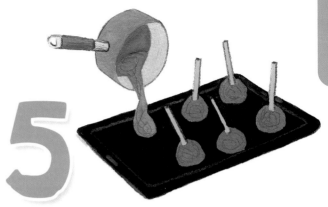

Sucettes au miel

Fais fondre le sucre avec un peu d'eau dans une casserole. Fais cuire, en ajoutant 2 grandes cuillerées de miel, jusqu'à ce que ton mélange devienne doré.

Verse ta préparation par petits tas sur une plaque allant au four. Pique des bâtonnets en bois. Laisse refroidir.

Le gâteau de Pâques d'Ulysse

Allez, tout le monde au jardin : la recherche des œufs peut commencer. Celui qui trouvera le gâteau qu'a préparé Ulysse a gagné !

Il te faut :
- 5 œufs
- 100 g de farine
- 100 g de sucre
- 30 g de beurre
- 1 sachet de sucre vanillé
- 1 moule rectangulaire

1 Mets les jaunes d'œufs, le sucre et le sucre vanillé dans un saladier. Mélange bien.

2 Ajoute la farine et mélange à nouveau.

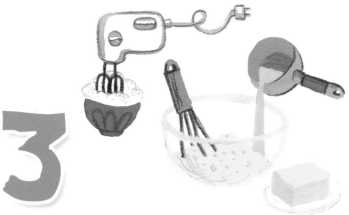

3 Incorpore ensuite le beurre fondu et les blancs battus en neige bien ferme.

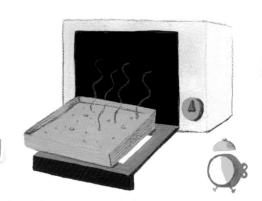

4 Verse la préparation dans le plat beurré et fais cuire 20-25 min au four préchauffé à 210 °C.

Pour la décoration :

5

Pose ton gâteau sur une plaque.
Découpe-le en forme d'œuf, et
recouvre-le de nappage au chocolat.

6

Avec la pointe d'un couteau,
dessine des motifs géométriques.
Puis décore avec des pastilles
de chocolat de toutes les couleurs.

Il te faut :
• du nappage au chocolat
(voir recette du gâteau
hérisson / novembre)
• des pastilles de chocolat
de différentes couleurs

Le clafoutis d'Yvon

L'air est doux et frais, les jours rallongent. Yvon est allé chez sa grand-mère ce week-end et il a cueilli plein de fruits. Vite, il faut faire un clafoutis.

Il te faut :
- 1 kilo de pêches
- 2 œufs
- 1 tasse de lait
- 1 c. à soupe de beurre fondu
- 1/4 tasse de sucre
- 2 c. à soupe de farine
- 1 pincée de cannelle

1 Fais préchauffer le four à 220°C. Dispose les pêches pelées et dénoyautées dans le fond d'un plat.

2 Verse un à un tous les autres ingrédients dans un grand bol, en terminant par le lait.

3 Mélange énergiquement à l'aide d'un fouet, jusqu'à ce que la pâte soit bien lisse.

4 Verse doucement la préparation obtenue dans le plat, autour des pêches.

5

Fais cuire au four pendant 40 min environ.

Les astuces de **Mathis**

Mathis remplace parfois les pêches par des prunes, des oreillons d'abricots ou des poires au sirop.

C'est tout aussi délicieux.

La mousse aux fraises de Tatiana

Sur l'étal des marchés sont apparus les fruits rouges, et surtout les fraises : gariguettes, maras des bois… Que ces fruits sont appétissants ! Tatiana et ses copains ont décidé de faire une mousse aux fraises pour leur goûter.

Il te faut :
- 1/2 tasse de lait
- 1 c. à soupe de gélatine à diluer
- 2 œufs
- 2 c. à soupe de sucre semoule
- 1 tasse de fraises (ou de fruits rouges)
- 1 tasse de yaourt aux fraises

1 Verse le lait dans un saladier, puis ajoute la gélatine diluée dans une tasse, avec un peu d'eau.

2 Ajoute le sucre et les fraises coupées en morceaux au contenu du saladier.

3 Incorpore le yaourt, mélange le tout une dernière fois, doucement, pour ne pas écraser les fruits.

4

Bats les blancs d'œufs en neige et incorpore-les au mélange.

5

Verse dans des coupes individuelles.

Pour décorer sa mousse, Tatiana dispose une fraise, ainsi qu'une feuille de menthe fraîche. C'est plus joli. Elle la mange avec des cigarettes russes ou des gaufrettes en éventail.

La tarte aux abricots de Zazie

Finie l'école, c'est le début des grandes vacances. Mais à force de courir toute la journée, Zazie a faim quand vient l'heure du goûter. Heureusement ce matin, elle a préparé une belle tarte aux fruits qu'elle a hâte de partager avec ses copains.

Il te faut :
- 1 rouleau de pâte feuilletée
- 100 g de sucre
- 4 œufs
- 4 c. à soupe de crème fraîche
- 1 kilo d'abricots frais

1

Dispose la pâte feuilletée dans un plat à tarte beurré. Pique le fond à la fourchette.

2

Mélange le sucre, les œufs entiers et la crème fraîche à l'aide d'une cuillère en bois.

3

Dispose les fruits, coupés en deux et dénoyautés, sur le fond de tarte, face coupée vers le haut.

4

Préchauffe ton four à 180°C. Puis verse le mélange crémeux sur les fruits.

5

Fais cuire 30 min environ.
Laisse bien refroidir ta tarte
avant de la démouler.

Les astuces de Mathis

Mathis utilise cette recette pour faire :
des tartes aux pommes délicieusement
caramélisées et des tartes aux poires.
Dans ce dernier cas, il ajoute avant
de servir quelques copeaux de chocolat
et des amandes effilées.

La glace meringuée de Pierrot

Qu'il fait chaud !
*Pierrot mangerait bien une glace, une bonne glace
bien fraîche. Avec son copain Rémi, ils vont préparer
une glace meringuée, comme au restaurant.*

1
Mélange le sucre, les jaunes d'œufs,
la crème, la vanille et les blancs
battus en neige.

Il te faut :
- 2 grosses meringues
ou 4 moyennes
- 4 œufs
- 30 g de sucre en poudre
- 200 g de crème fraîche épaisse
- 1 c. à café d'extrait de vanille
- du caramel liquide

2
Écrase les meringues dans
un bol de façon à les réduire
en petits morceaux.

3
Ajoute les morceaux de
meringue à la préparation.
Mélange délicatement.

4

Verse le caramel dans le fond
du moule puis ajoute la préparation.

Sur des cure-dents, Pierrot
a collé des décorations qu'il
a lui-même dessinées (tu peux
t'inspirer des siennes).
Au moment de servir,
il les pique
dans la glace...

5

Mets au congélateur au moins 12 h.
Démoule la glace, et présente-la
sur un joli plat.

Le crumble d'Albert

C'est la rentrée. Albert et ses copains sont contents de se retrouver. Que de choses à se raconter ! Pour l'occasion, Albert a invité ses copains à préparer un crumble aux pommes.

Il te faut :
- 500 g de pommes
- 50 g de beurre
- 50 g de cassonade
- 50 g de farine

1 Épluche les pommes, coupe-les en quatre, enlève les pépins et coupe les quartiers en lamelles.

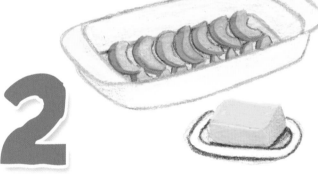

2 Beurre un plat allant au four, puis dispose au fond, en rang, les lamelles de pomme.

3 Mélange avec les doigts le beurre coupé en morceaux, la cassonade et la farine.

4 Répartis le mélange sableux obtenu sur les pommes. Préchauffe ton four à 200 °C.

5

Fais cuire 20-25 min environ dans le four préchauffé. Le dessus du crumble doit être doré.

Ce qu'Albert préfère, c'est manger son crumble aux pommes avec une boule de glace à la vanille ou un petit peu de crème Chantilly.

Le gâteau d'Halloween de Léa

C'est le mois des sorcières et des vampires. Ouvre tes ailes, mets ton dentier pointu et fais comme Léa, invite tes copains à un goûter d'Halloween.

Il te faut :
- 1/2 paquet de levure
- 1 yaourt nature
- 1/2 pot d'huile
- 2 pots de sucre
- 3 pots de farine
- 2 œufs
- 1 zeste de citron

1 Mélange tous les ingrédients un à un, en respectant l'ordre de la liste. Le pot de yaourt vide te servira de mesure.

2 Fais cuire à 180 °C, 30 min environ (vérifie la cuisson avec la pointe d'un couteau : elle doit ressortir sèche).

Pour la décoration :

Il te faut :
- du carton
- du sucre glace
- des pastilles au chocolat, orange et noires
- de la réglisse

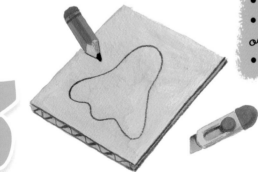

3 Dessine un fantôme sur un carton (inspire-toi du modèle). Demande à un adulte d'évider le fantôme au cutter.

4 Place ton pochoir au milieu du gâteau. Saupoudre de sucre glace.

5

Décore avec des pastilles orange,
des pastilles noires pour les yeux
et le bout de réglisse pour la bouche.

La boisson des vampires

Fais comme Léa et sers à tes amis
de grands verres de... sang frais.
Pour cela, mélange dans un grand
récipient un litre de jus d'orange
avec un litre de jus de fraise, puis
ajoute un peu de sirop de myrtille.
Sers avec des
glaçons dans
lesquels tu auras
enfermé quelques
araignées...
en plastique.

Le gâteau hérisson d'Irina

Les forêts se parent de rouge et d'or. L'automne est bien installé. Après une bonne promenade au grand air, Irina et ses amis envahissent la cuisine pour préparer un drôle de gâteau au chocolat.

Il te faut :
- 5 œufs
- 100 g de sucre
- 40 g de farine
- 80 g de cacao en poudre
- 50 g d'amandes moulues
- 1 c. à café de levure

1 Sépare les blancs des jaunes de 4 œufs. Mets les blancs de côté.

2 Bats les 4 jaunes et le 5ᵉ œuf entier avec le sucre.

3 Ajoute la farine, la levure, le cacao en poudre et les amandes moulues, mélange doucement.

4 Ajoute les 4 blancs battus en neige, verse la pâte dans un moule ovale beurré. Fais cuire à four moyen (180 °C) 45 min.

Pour la décoration :

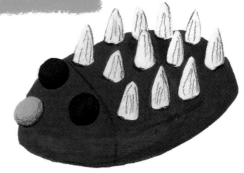

5 Fais fondre le chocolat à cuire avec 2 cuillères à soupe d'eau et le sucre. Verse le glaçage sur le gâteau démoulé, étale à l'aide d'une spatule.

6 Pique les amandes sur le corps, pour faire les piquants. Dispose les deux pastilles noires pour les yeux et la pastille rose pour le nez.

Les sablés de Noël de Clara

C'est long d'attendre les cadeaux.
Encore 25 jours, 24, 23... Clara
aussi veut aider à préparer les fêtes.
Avec ses copains, elle se lance
dans la préparation de petits sablés
qu'elle pourra accrocher dans le sapin.

Il te faut :
- 250 g de farine
- 140 g de beurre
- 140 g de sucre
- 4 jaunes d'œufs
- 1 zeste de citron râpé fin
- 1 paquet de sucre vanillé
- 1 pincée de sel
- des fruits confits
- des emporte-pièces

Conseil : préparer la pâte la veille.

1 Verse dans un saladier la farine, le sucre, le zeste de citron, les jaunes d'œufs, le beurre coupé en petits morceaux, le sel, le sucre vanillé.

2 Malaxe le tout, puis laisse reposer la pâte au frais.

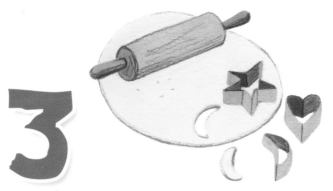

3 Étends la pâte froide au rouleau, sur une surface farinée. Avec un emporte-pièce, découpe des sablés de formes différentes.

4 Garnis tes sablés de fruits confits. Dore avec un pinceau trempé dans du jaune d'œuf.

5

Préchauffe ton four à 180 °C. Place les sablés sur une plaque beurrée, enfourne-les. Ils sont cuits dès qu'ils sont dorés.

Avant de les faire cuire, Clara creuse un petit trou dans ses sablés pour pouvoir y passer un ruban de couleur. Quelques jours avant Noël, elle accroche ses sablés dans le sapin.

Pour bien préparer

Fais la liste de tes invités et pour être sûr qu'ils puissent venir ce jour-là, remets-leur des cartons d'invitation.

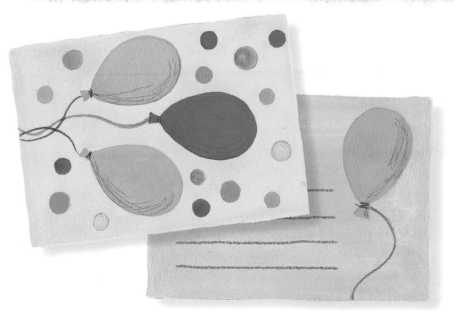

Découpe un rectangle dans du carton de couleur. Dessine des ballons, colle des confettis et des paillettes. Tu peux aussi coller de petits morceaux de ruban sur chaque ballon.

Découpe dans du carton vert la forme d'un sapin. Peins le tronc en marron. Décore ton sapin avec des gommettes. Écris au verso le texte de ton invitation avec un marqueur noir ou doré.

ta fête

Découpe la forme d'un œuf
dans du carton de couleur.
Décore ton œuf avec des rubans
et des gommettes, ou en peignant
les motifs de ton choix.

Découpe, en t'inspirant du
modèle, la forme d'un petit-beurre
dans du carton beige. Dessine
les motifs du biscuit à la peinture.
Sur le même principe, tu peux
faire une invitation en forme de
sablé tout rond ou de tablette
de chocolat.

Calligraphie : Nathalie Tousnakhoff

© 2004, Éditions Sarbacane, Paris.
www.editions-sarbacane.com

Tous droits de reproduction, de traduction
et d'adaptation réservés pour tous pays.
Loi n° 49-956 du 16 juillet 1949
sur les publications destinées à la jeunesse.

Dépôt légal : 2ᵉ trimestre 2007.
ISBN : 9-782-84865-031-9

Imprimé en Belgique.